Sabrina Galasso

Grammatica italiana per BAMBINI

Alma Edizioni - Firenze

Direzione editoriale: **Ciro Massimo Naddeo**

Redazione: **Carlo Guastalla**

Progetto grafico e impaginazione: **Andrea Caponecchia**

Copertina: **Sergio Segoloni**

Illustrazioni: **Chiara Grassi**

Stampa: **la Cittadina, azienda grafica - Gianico Bs**

Nota: il racconto "La sposa mangiona" di pagina 38 è liberamente ispirato alla fiaba popolare italiana "E sette!" in *Italo Calvino*, "Fiabe Italiane", 1974 [1956], Einaudi, Torino; la filastrocca "Undici fanciulle coraggiose" di pagina 88 è liberamente ispirata al racconto popolare spagnolo "Once Damas Atrevidas".

Printed in Italy

ISBN 978-88-89237-61-9

© **2006 Alma Edizioni**

Prima edizione: settembre 2006

Alma Edizioni
Viale dei Cadorna, 44
50129 Firenze
tel +39 055476644
fax +39 055473531
info@almaedizioni.it
www.almaedizioni.it

Indice

Introduzione

Che cos'è la Grammatica italiana per bambini

Grammatica italiana per bambini è una **grammatica pratica di base**. Presenta le strutture morfologiche fondamentali della lingua italiana e permette di esercitarle attraverso una ricca serie di attività scritte.

Il percorso grammaticale proposto è frutto di una scelta operata sulla base degli elementi che sono stati ritenuti adeguati alla fascia di età e alla tipologia di lettori cui il volume è rivolto.

A chi si rivolge

L'opera si presta ad essere utilizzata da bambini che studiano l'italiano come lingua straniera all'estero, da bambini stranieri che studiano l'italiano come seconda lingua in Italia, ma anche da bambini italiani che vogliano affrontare un percorso di riflessione sulla lingua chiaro e motivante. È indirizzata a bambini dai 7 agli 11 anni che sappiano già leggere e scrivere nella loro lingua **a qualsiasi livello di conoscenza dell'italiano**.

Grammatica italiana per bambini, infatti, può essere utilizzato in classi mono o plurilingue come percorso parallelo ad altre attività di insegnamento della lingua italiana o essere utilizzato dal bambino a casa con o senza l'aiuto di un adulto.

La struttura del libro, semplice dal punto di vista testuale e lessicale, e chiara per via dell'uso frequente e stimolante dei disegni, rende possibile un buon grado di autonomia da parte del bambino.

Caratteristiche

Nel non facile intento di proporre ai bambini un primo incontro con la grammatica, abbiamo tenuto presenti due criteri che riteniamo fondamentali:

- la narratività;
- la proposta di una grammatica essenzialmente induttiva.

Nella convinzione che la motivazione ad apprendere sia più alta quando l'immaginazione e il desiderio di scoperta vengono sollecitati, abbiamo pensato a un libro che fosse:

- un <u>percorso narrativo</u> in cui il bambino incontra storie, situazioni e personaggi fantastici che si susseguono e si intrecciano in modo organico e dove ogni singola attività - anche un semplice esercizio frasale - è parte di un contesto di racconto;
- un ripetuto <u>invito alla riflessione</u> e alla ricerca attiva della regola grammaticale e non una pura presentazione di regole e definizioni.

I venti capitoli in cui il volume si articola sono così strutturati: un racconto o uno spunto fantastico o una breve storia in prosa o in versi introducono il tema narrativo; segue una riflessione grammaticale i cui elementi sono tratti dal testo precedentemente presentato e che richiede al bambino un lavoro di analisi attivo e lo porta a ricostruire in prima persona le regole grammaticali; successivamente una fase in cui le regole in questione vengono applicate per mezzo di attività scritte varie e stimolanti; in conclusione degli esercizi finali di riepilogo delle strutture morfologiche e del lessico appresi nell'intero capitolo.

Abbiamo fatto molta attenzione alla <u>comprensibilità</u> dei testi presentati: la lingua usata è semplice ed essenziale; il lessico viene ripetuto e arricchito progressivamente; là dove il racconto è un po' più complesso le parole chiave sono sempre già note o rese comprensibili per mezzo dei disegni che accompagnano la narrazione.

Fra <u>il testo e il disegno</u> vi è una relazione continua e necessaria: le immagini contribuiscono a rendere comprensibili i vocaboli e le situazioni narrative, e interagiscono con il racconto nello stimolare l'immaginazione.

Come si usa

La presenza, accanto alle istruzioni che introducono ogni attività, di un'icona semplice e chiara, permette al bambino di riconoscere immediatamente la tipologia del lavoro che di volta in volta deve svolgere. Le icone sono 4:

 Leggi!: significa che il bambino deve leggere un breve testo - in prosa o in forma di filastrocca - di solito accompagnato da disegni.

 Rifletti!: significa che il bambino è chiamato, attraverso proposte di riflessione o domande, ad interrogarsi su un elemento o una struttura grammaticale e a ricavare, in modo induttivo, una regola.

 Fai l'attività!: indica che il bambino deve prepararsi a svolgere un esercizio o un gioco sulla regola grammaticale precedentemente introdotta.

 Esercitati!: indica che il bambino è chiamato a svolgere alcuni esercizi di riepilogo sugli argomenti grammaticali affrontati nell'intero capitolo.

Le appendici

- Un test di autovalutazione finale.
- La tavola dei verbi regolari e dei principali verbi irregolari.
- Le soluzioni di tutti gli esercizi.

Ringraziamenti

Un ringraziamento a tutti i bambini, ai colleghi e alla dirigente del 68° Circolo didattico di Roma, V. H. Girolami, e in particolare alle classi VD (a.s. 2003-2004) e IID (a.s. 2005-2006). Grazie a Maria Zanella, Massimo Naddeo, Maurizio Maurizi.

L'autrice

Alma Edizioni

Il libro

Ci sono tanti personaggi in questo libro...
... come le lettere dell'**alfabeto** italiano!

A

Alice

B

bambini

C

cavallino

D

Damiano

E

Ernesto

F

Francesco

G

Giulia

H

Hrptcl

I

isola

L

leone

M

mostro

N

nani

O

Occhiosolo

P

principe

Q

Quikcl

R

re dei sogni

S

strega

T

tartaruga

U

Ugo

V

Viola

Z

zio di Giulia

Alma Edizioni

2. *Scrivi le frasi al posto giusto.*

A come Alice
B come bambini

_____

D come Damiano
E come Ernesto

_____

G come Giulia
H come Hrptcl

_____

L come leone
M come mostro

_____

_____

P come principe
Q come Quikcl

_____

_____

T come tartaruga
U come Ugo

_____

Z come zio

V come Viola

F come Francesco

R come re dei sogni

O come Occhiosolo

C come cavallino

N come nani

S come strega

I come isola

Alma Edizioni

 **3.** *Fai l'attività!*

Guarda questi bambini! Una classe intera!

Ilaria — Enrico — Veronica — Zaira — Ornella

Mark — Daniel — Tommaso — Giorgio — Hamid

Abraham — Paola — Quinto — Claudio — Nino

Lorenzo — Roberta — Umberto — Sara — Betta — Federica

Mettili a posto sul quaderno della maestra!

Abraham
Betta
Claudio

4. *Se conosci altre parole fai una collana!*

Alfabeto

Francesco e Giulia

 **1.** *leggi!*

Giulia vive nel pianeta delle bambine.
Ha un'amica:
la tartaruga Elettra.

Francesco vive nel pianeta dei bambini.
Ha un amico:
il canarino Ernesto.

2. *Le parole colorate sono dei **nomi**. Scrivi, qui sotto, da una parte i nomi in **blu** e dall'altra i nomi in rosa, come nell'esempio.*

Giulia **vive nel pianeta delle bambine. Ha un'**amica:
la tartaruga Elettra. Francesco **vive nel pianeta dei bambini.
Ha un** amico: il canarino Ernesto.

maschile	femminile
	Giulia

Guarda l'ultima lettera dei nomi! Ecco la regola per
scrivere i nomi maschili e i nomi femminili:

*L'ultima lettera dei nomi maschili è la **o**, l'ultima dei
nomi femminili è la **a**.*

 3. *Scrivi cinque nomi di bambini italiani che finiscono in -**o** e cinque nomi di bambine che finiscono in -**a**.*

1 _____   _____
2 _____   _____
3 _____   _____
4 _____   _____
5 _____   _____

Nomi in -a e -o

Alma Edizioni

4. *Guarda le parole sottolineate. Scrivi le cose femminili di Giulia e le cose maschili di Francesco, come nell'esempio.*

Giulia e Francesco hanno anche:

una bambol**a**

una matit**a**

un alber**o**

un trenin**o**

una casett**a**

un cavallin**o**

un tappet**o** volante

una trottol**a**

una giraff**a**

un castell**o**

una montagn**a**

una stell**a**

un prat**o**

un conigli**o**

una tort**a**

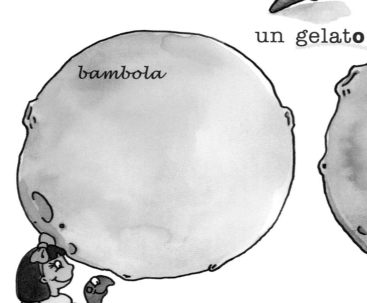

bambola

un gelat**o**

Nomi in -a e -o

 **5.** *Fai l'attività!*

Cancella tutti i nomi maschili. Poi copia le prime lettere dei nomi che rimangono... e lo scoprirai!

~~c~~anarino   trenino   **s**tella   **t**appeto

tartaruga   **F**rancesco   **R**oberta

Elettra   **a**lbero   **G**iulia   **g**elato

Anna   **m**ostro

Alma Edizioni

Nomi in -a e -o

6. *Fai l'attività!*

La strega ha una casa nel bosco. Eccola! Ci sono:

un armadio con le
bacchette magiche
    un cappello
a punta
    un camino
    una gabbia
per i
prigionieri...

una scopa
lunghissima
    un vestito
da fata
    una grande
pentola
    un gatto
nero

Guarda le parole colorate. Scrivile qui sotto al posto giusto.

maschili	femminili
camino	

Nomi in -a e -o

7. *Scrivi accanto alle parole una* **M** *se sono maschili o una* **F** *se sono femminili.*

prato ☐

coniglio ☐

montagna ☐

gelato ☐

isola ☐

armadio ☐

> **Ricorda:** *spesso in italiano i nomi maschili finiscono in* **-o** *e i nomi femminili in* **-a**.

scopa ☐

vestito ☐

cavallino ☐

torta ☐

bacchetta ☐

giraffa ☐

8. *Completa le parole con la lettera giusta.*

streg____

trenin____

stell____

casett____

bambol____

tartarug____

alber____

pentol____

cappell____

castell____

Alma Edizioni

Francesco e Giulia

 **1.** *Leggi!*

La tartaruga Elettra ama molto mangiare.

Tutti i giorni ruba la torta con
la panna che prepara Giulia.

Il canarino Ernesto ama andare
per i prati con il cavallino...

e con Francesco...

 **2.** *Rifletti!*

La **tartaruga** Elettra ama molto mangiare. Tutti i giorni ruba la **torta** con la **panna** che prepara Giulia. Il **canarino** Ernesto ama andare per i prati con il **cavallino**... e con Francesco...

Sai già che le parole colorate sono dei nomi. Prima dei nomi ci sono delle parole molto corte. Copiale qui sotto.

?	nomi maschili	?	nomi femminili
il	canarino	___	tartaruga
___	cavallino	___	torta
		___	panna

Quelli che hai trovato sono **articoli**. *Gli articoli accompagnano i nomi. Servono per capire meglio se un nome è maschile o femminile.*

Quale articolo accompagna i nomi maschili?_____

Quale articolo accompagna i nomi femminili?_____

Alma Edizioni

3. *Scrivi l'articolo giusto vicino ai nomi dei vestiti.*

La mattina Giulia, Francesco e la strega si mettono...

_____ tuta

_____ fiocco

_____ gonna

_____ vestito

_____ cappello

_____ collana

_____ maglietta

_____ berretto

_____ camicia

_____ sciarpa

Alma Edizioni

Articoli: *il* e *la*

Allo zoo

 4. *Scrivi i nomi degli animali nel recinto giusto.*

Allo zoo ci sono:

lupo
pantera
fenicottero
scimmia
giraffa
leopardo
coccodrillo
pinguino
pellicano
foca

il   **la**

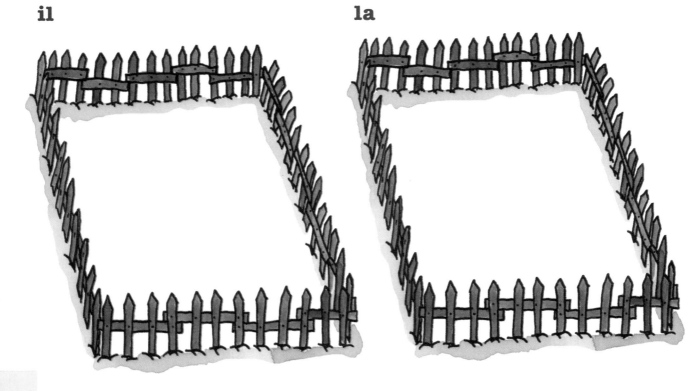

5. *Cancella l'articolo sbagliato.*

il – la castello	**il – la** bambola
il – la cappello	**il – la** trenino
il – la stella	**il – la** strega
il – la scopa	**il – la** casetta
il – la bosco	**il – la** pentola
il – la vestito	**il – la** giraffa

Ricorda: il accompagna *i nomi maschili,* **la** accompagna *i nomi femminili.*

 6. *Metti gli articoli* **il** *o* **la** *al posto giusto.*

Un giorno _____ canarino prende _____ tappeto volante
e va a trovare _____ tartaruga Elettra.

_____ canarino porta _____ gelato con _____ cioccolato.
Elettra prende _____ torta con _____ panna.

Insieme fanno una gran mangiata!

Articoli: *il* e *la*

Francesco e Giulia

 ***1.*** *Leggi!*

La **giraffa** di Giulia fa i piccoli.
Ci sono tante **giraffe** sul pianeta di Giulia!

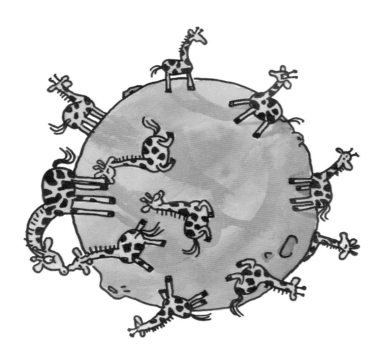

Francesco annaffia il suo **albero**.
Ci sono tanti **alberi** sul pianeta di Francesco!

2. *Rileggi il testo di pag. 22 e completa.*

I nomi cambiano se si parla di **uno** o di **tanti**...

I nomi maschili che finiscono in **-o**, come albero,
quando sono tanti si scrivono con la lettera _____

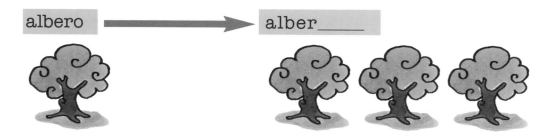

albero ⟶ alber_____

I nomi femminili che finiscono in **-a**, come giraffa,
quando sono tanti si scrivono con la lettera _____

giraffa ⟶ giraff_____

 **3.** *Disegna.*

una strega	un cappello
3 mostri	2 bambine

Plurale dei nomi in -a e -o

4. *Completa come nell'esempio.*

La strega si diverte a fare
un... **INCANTESIMO**!!!...Trasforma le cose
e gli animali da uno a tanti!

macchina   macchine

penna   _____

temperino   _____

bambola   _____

cappello   _____

gonna   _____

quaderno   _____

libro   _____

Alma Edizioni

Il pirata Occhiosolo

 **5.** *Fai l'attività!*

Il Pirata Occhiosolo  ha una

vecchia **barca**  e tre **marinai**...

Pipa    Coltello  e Capello!

Cercano il **tesoro**.   Guarda la **mappa**!

Il tesoro è in un'**isola** piccola  dietro

tre grandi **isole**.

Scrivi queste parole qui sotto al posto giusto.

barca   marinai   tesoro   mappa   isola   isole

uno	tanti
barca	

Plurale dei nomi in *-a* e *-o*

6. *Fai l'attività!*

Quando si parla di **uno** si dice che il nome è **singolare**.
Quando si parla di **tanti** si dice che il nome è **plurale**.

Giulia guarda:

il cielo

la luna   le stelle   le nuvole   il vento

gli alberi   la pioggia   il tramonto   le foglie   i rami

*Scrivi i nomi al posto giusto. Guarda l'esempio: la luna è **una** e **femminile**.*

Ricorda: *i nomi maschili che finiscono in **o** quando sono tanti si scrivono con la lettera **i**; i nomi femminili che finiscono in **a** quando sono tanti si scrivono con la lettera **e**.*

singolare (uno)		plurale (tanti)	
maschile	femminile	maschile	femminile
	luna		

Alma Edizioni

Plurale dei nomi in -a e -o

7. *Esercitati!*

La strega si diverte ancora!

Allo zoo sbaglia i plurali...

*Guarda le **parole colorate**: sono tutte plurali.*
Riscrivile accanto corrette.

Il custode dà da mangiare alle panteri. _____

Il bambino accarezza i lupe. _____

Elettra fa la linguaccia ai coccodrille. _____

Capello parla con le giraffi. _____

Francesco vola sopra i fenicottere. _____

8. *Esercitati!*

...sul quaderno cancella pezzi di parole!

Rimettile a posto tu!

singolare	plurale
pantera	panter__
lup__	lupi
coccodrill__	coccodrilli
giraff__	giraffe
fenicottero	fenicotter__
pinguino	pinguin__

Plurale dei nomi in -a e -o

Il robot-mostro

 **1.** *Leggi!*

In un pianeta lontano lontano

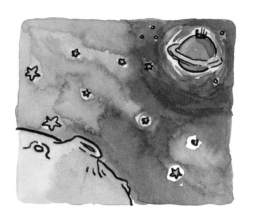

vive il Robot-mostro!

I suoi **incantesimi** sono terribili!
Trasforma tutti in mostri...

topo

medusa

serpenti

ragni

Giulia e Francesco
arrivano sul
tappeto volante...

e il Robot li
trasforma in...
scarafaggio e verme!

Pronomi personali e verbo essere

Alma Edizioni

Ma il canarino sa cosa fare. Dice le parole giuste:

 **2.** *Rifletti!*

Lui è   Lei è   Io sono   Noi siamo

Tu sei   Voi siete   Loro sono

Guarda le **parole colorate** *e scrivile qui sotto, come nell'esempio.*

singolare		plurale
Lui		

> Quelli che hai scritto si chiamano **pronomi personali**. Queste parole servono per capire meglio di quale persona si sta parlando.

Pronomi personali e verbo essere

3. *Leggi e completa.*

Il robot-mostro
è triste....

Tutti insieme Giulia, Francesco,
il canarino, il pirata, i marinai,
i principi e le principesse gridano:

_____ sei il
.......RE!!!!

E il re ritorna nel suo
castello con principi e
principesse.

Tutti gli altri sul tappeto
volante tornano
a casa.

 4. *Completa le frasi con i **pronomi personali** giusti.*

 _____ sono la tartaruga Elettra.

 _____ è la giraffa.

 _____ è il canarino.

 _____ sono Giulia, una bambina.

 _____ sei il cavallino!

 _____ siamo i bambini di una classe!

  _____ sono i fenicotteri.

noi
io   io
loro lei
tu   lui

Pronomi personali e verbo essere

5. *Adesso leggi di nuovo le frasi dei fumetti a pag. 29. Metti al posto giusto le parole che stanno vicino ai **pronomi personali**, come nell'esempio.*

Lui è Francesco!!!

Lei è Giulia!!!

Io sono Occhiosolo!!!

Noi siamo Pipa, Coltello e Capello!!!

Tu sei il cavallino!!!

Voi siete... le principesse!!!

Loro sono... i principi!!!

ESSERE			
singolare		**plurale**	
Io *sono*		Noi ____	
Tu ____		Voi ____	
Lui *è*	Lei ____	Loro ____	

Hai scritto il **verbo essere**!

 6. *Scrivi il tuo nome!*

Io sono _____

 7. *Scegli e completa!*

Io sono _____

un bambino
una bambina
un robot

Pronomi personali e verbo essere

8. *Con l'aiuto della tabella cancella il verbo **essere** sbagliato.*

ESSERE		
singolare		**plurale**
Io sono		Noi siamo
Tu sei		Voi siete
Lui è	Lei è	Loro sono

 Giulia non **siamo/è** uno scarafaggio, **è/sono** una bambina.

 Francesco non **siete/è** un verme, **siamo/è** un bambino.

 Occhiosolo non **sono/è** una medusa, **è/siete** un pirata.

 Noi **siamo/siete** i bambini di una classe!

 Io **è/sono** il cavallino!

 Noi **è/siamo** dei marinai!

Pronomi personali e verbo essere

Fate e nani

 1. *Leggi!*

Nel bosco della strega vivono anche

i nani e

le fate!

I nani e le fate cantano e ballano.

Ecco il principe dei nani: il nano Damiano.

Ecco la principessa delle fate: la fata Viola.

Articoli: *i* e *le*

Alma Edizioni

2. *Guarda gli **articoli colorati** a pag. 34 e prova a completare.*

Il nano Damiano è uno. L'articolo è _____

Ma se ci sono tanti nani, l'articolo è _____

La fata Viola è una. L'articolo è _____

Ma se ci sono tante fate, l'articolo è _____

> Conosci già **la** e **il**! **Il** è l'articolo singolare maschile.
> **La** è l'articolo singolare femminile (vedi pag. 18).
> Ora hai trovato l'articolo plurale maschile e l'articolo plurale femminile.

 3. *Scrivi l'articolo giusto e poi disegna.*

_____ rami	_____ foglie	_____ pentole
_____ stelle	_____ cappelli	_____ collane

Articoli: *i* e *le*

 **4.** *Fai l'attività!*

Questi sono i vestiti di Damiano:

i pantaloni

la giacca

la camicia

la cravatta

le scarpe

il cappello

Questi sono i vestiti di Viola:

il vestito

le collane

i braccialetti

la fascia

e naturalmente...

la bacchetta magica

*Scrivi tutti gli **articoli colorati** al posto giusto qui sotto, come nell'esempio.*

singolare		plurale	
maschile	femminile	maschile	femminile
		i	

5. *Scrivi gli articoli* **il**, **la**, **i**, **le** *al posto giusto.*

Alla festa nel bosco

___ nani e ___ fate ballano insieme. ___ principe Damiano suona ___ musica. ___ fate cuoche cucinano ___ pizza e ___ torte. ___ nani gelatai preparano ___ gelati. Ma ___ strega è arrabbiata perché non è invitata!

Osserva la tabella degli articoli!

singolare		plurale	
maschile	femminile	maschile	femminile
i	*la*	*i*	*le*

 6. *Cancella l'articolo sbagliato.*

È notte.   Viola si mette **le/la** camicia da notte.

Damiano si mette **le/il** pigiama.   **La/Il** strega dorme sopra **i/il** camino.

La/I nani gelatai russano.   **Le/I** fate cuoche sognano.

Alma Edizioni

Articoli: *i* e *le*

La sposa mangiona

 **1.** *Leggi!*

C'è una donna sempre
arrabbiata con sua figlia.
Questa figlia infatti è moooolto
golosa di minestrone!

Un giorno passa un principe e
si innamora della figlia.

Il principe
prepara 1 uno

e poi 2 due

e poi 3 tre

e poi 4 quattro, 5 cinque, 6 sei, 7 sette, 8 otto,
9 nove, 10 dieci piatti di minestrone!

La figlia è contenta e diventa
la sposa mangiona del principe!

Alma Edizioni

2. *Rileggi il testo a pag. 38 e scrivi le parole che vengono dopo i* numeri colorati, *come nell'esempio.*

1   *uno*   2 _____

3 _____   4 _____

5 _____   6 _____

7 _____   8 _____

9 _____   10 _____

> *Si scrivono così i numeri da 1 a 10 in italiano!*

 3. *Completa con i numeri scritti in lettere.*

Le zampe del cavallino sono _____

 Le ali del canarino sono _____

I giorni della settimana sono _____

 I tuoi anni sono _____

Le dita della tua mano sono _____

 Il cappello della strega è _____

4. *leggi e impara i numeri fino a 20!*

Nella casa della sposa mangiona e del principe ci sono
11 **undici**, 12 **dodici**, 13 **tredici**, 14 **quattordici**,
15 **quindici**, 16 **sedici**, 17 **diciassette**, 18 **diciotto**,
19 **diciannove**, 20 **venti** topolini!

 5. *Completa con i numeri scritti in lettere.*

Ci sono anche...

9	_____	gatti
10	_____	piatti di minestrone
14	_____	tartarughe
10	_____	canarini
3	_____	cani
4	_____	cuochi
16	_____	libri e
2	_____	bambini!

Numeri

Alma Edizioni

Il pollaio

 **6.** *Leggi!*

In un pollaio
ci sono
100 galline.

Ma...

per contare le galline devi conoscere le decine!

10 **dieci**	60 **sessanta**
20 **venti**	70 **settanta**
30 **trenta**	80 **ottanta**
40 **quaranta**	90 **novanta**
50 **cinquanta**	100 **cento**

e poi...
da 20 a 30 si conta così

21 **ventuno**	26 **ventisei**
22 **ventidue**	27 **ventisette**
23 **ventitré**	28 **ventotto**
24 **ventiquattro**	29 **ventinove**
25 **venticinque**	

e ancora...
31 **trentuno**
32 **trentadue**   e così via....

7. *Completa con i numeri scritti in lettere.*

In un pollaio ci sono

100 _____ galline.

Il padrone ne regala 80 _____.

Nel pollaio ne rimangono 20 _____.

Le 20 _____ galline che restano

sono tristi perché le loro amiche non

ci sono più.

8. *Unisci i numeri scritti in cifre e in lettere.*

Ma le **80** galline vendute scappano:

27 tornano nel pollaio,

14 vanno al mare,

34 si costruiscono
una casa in campagna

e **5** se ne vanno
in città.

> **quattordici**

> **cinque**

> **ottanta**

> **trentaquattro**

> **ventisette**

Alma Edizioni

 **9.** *Leggi!*

In un pianeta molto strano... di nome Zkvcl, tutte le persone hanno più di 100 anni! Su Zkvcl le persone possono avere:

100	cento	600	seicento
200	duecento	700	settecento
300	trecento	800	ottocento
400	quattrocento	900	novecento
500	cinquecento	o anche 1000	mille anni!!!

Quikcl è un calciatore e ha
541 cinquecentoquarantuno anni.

Rtskcl è una ballerina e ha
329 trecentoventinove anni.

Hrptcl è un nonno e ha
937 novecentotrentasette anni!

 10. *Inventa quattro abitanti di Zkvcl.*
Scrivi il loro nome e i loro anni (in lettere) e disegnali.

Numeri

Francesco e Giulia

 **1.** *Leggi!*

Giulia e Francesco sono tornati nei loro pianeti.

Che strano!
Sul pianeta
di Giulia c'è
la neve!

Sul pianeta
di Francesco
c'è il sole!

Alma Edizioni

2. *Rifletti!*

la neve 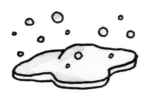 il sole

*Guarda le **parole colorate**. Anche queste sono nomi e finiscono con la lettera -**e**. Alcune sono maschili e altre femminili.*

Guarda l'articolo che accompagna il nome e con una ✗ *segna se il nome è maschile o femminile.*

(la) **neve** è ☐ maschile/femminile ☐

(il) **sole** è ☐ maschile/femminile ☐

3. *Scrivi cinque nomi che finiscono in -**e**. Poi disegnali.*

 **4.** *RIfletti!*

Giulia dipinge le pareti!

E Francesco?
Raccoglie i fiori!

singolare   **plurale**

la parete   ⟶   le pareti

il fiore   ⟶   i fiori

I nomi che finiscono in **-e** quando sono tanti finiscono con
la lettera _____ .

 5. *Anche questi nomi finiscono in* **-e**. *Scrivili al plurale.*

nave  _____

    salame  _____

giornale _____

    pettine _____

verme  _____

    cane  _____

Alma Edizioni

Nomi in -e

Allo zoo

 **6.** *Fai l'attività!*

Allo zoo ... gli animali con la -e...

Allo zoo ci sono anche:
quattro leoni,
un elefante,
tre rinoceronti,
due tigri e... il cane
del custode!

*Scrivi le **parole colorate** qui sotto al posto giusto.*

singolare	plurale

 7. *Prova a completare questi nomi ricordandoti se finiscono in* **-o** *e* **-a** *oppure in* **-e**.

canarin____   nav____

isol____   fenicotter____

nuvol____   cas____

sol____   bambol____

tesor____   mar____

Nomi in -e

8. *Metti i nomi al posto giusto qui sotto e poi scrivi anche i plurali.*

lupo   **pantera**   **leone**   **tigre**

	singolare		plurale	
	maschile	femminile	maschile	femminile
nomi in **-o** e **-a**	lupo			
	maschile e femminile		maschile e femminile	
nomi in **-e**				

 9. *Fai il cruciverba!*

> *Hai ricostruito la tabella di tutti i nomi!*

La casa

 **1.** *Leggi!*

La fata Viola ha una casa sugli alberi.

Il nano Damiano ha una casa dentro un albero.

Il pirata Occhiosolo e i suoi marinai hanno una barca come casa.

E tu, che casa hai?

Disegna la tua casa.

Alma Edizioni

2. *Completa il verbo* **avere** *con le* **parole colorate** *di pag. 49.*

AVERE		
singolare		**plurale**
Io **ho**		Noi **abbiamo**
Tu _____		Voi **avete**
Lui _____	Lei _____	Loro _____

3. *Collega le frasi alle immagini giuste.*

a.

b.

1. La sposa mangiona e
   il principe hanno due figli.

c.

2. La strega ha una scopa.

3. Il pirata ha un occhio solo!

d.

4. Wrptcl ha 937 anni.

5. Le fate hanno delle
   bacchette magiche.

e.

6. Elettra ha un guscio.

f.

Alma Edizioni

La stanza

 4. *Completa i fumetti con* **ho, hai.**

Io _____ un letto comodo, una playstation grandissima, dei trenini... E tu, che cos' _____ ?

Io_____ una grande finestra, dei vasi con le piante, tante bambole!

 5. *Rispondi con una* X.

Tu che cos'**hai** nella tua stanza?

☐ Io ho un letto

☐ Io ho dei giocattoli

☐ Io ho delle bambole

☐ Io ho una playstation

☐ Io ho un armadio

☐ Io ho un tappeto volante

☐ Io ho una bacchetta magica

☐ Io ho una finestra

Avere

Il pianeta

 6. *Completa i fumetti con* **abbiamo/avete**.

Francesco, Giulia, Elettra e il canarino giocano.

> Noi _____
> la neve bianca!
> Voi cosa _____ ?

> Noi _____
> il sole caldo!

 7. *Completa scegliendo la forma giusta del verbo* **avere**.

 Giulia _____
(ho/avete/ha)
sonno.

 La strega _____
(hanno/ha/abbiamo)
caldo.

 La tartaruga e
il canarino _____
(hanno/hai/ho) freddo.

 Viola e le altre
fate _____
(ho/avete/hanno)
sete.

 La sposa
mangiona _____
(hai/ha/abbiamo)
fame.

 Francesco _____
(ha/abbiamo/ho)
paura!

Avere

Chi è?

 1. *Indovina chi è il personaggio! Scrivi il nome nello spazio.*

Ha il cappello grosso

il naso lungo

il mento peloso!

Ha i capelli biondi

gli occhi azzurri

il naso piccolo!

Ha il pelo bianco

le zampe lunghe

la coda nera

Aggettivi qualificativi

2. *Rispondi alle domande e metti una* **x** *qui sotto.*

uno	tanti	masch.	femm.
x		x	

il cappello grosso è?

il naso lungo è?

il mento peloso è?

i capelli biondi sono?

gli occhi azzurri sono?

il naso piccolo è?

il pelo bianco è?

le zampe lunghe sono?

la coda nera è?

Le parole colorate si chiamano **aggettivi**.
Stanno vicino ai nomi perché fanno capire come sono.

Rispondi ancora…

Quando l'aggettivo sta vicino a un nome che è **uno** e **maschile**, qual è l'ultima lettera dell'aggettivo? ____

Quando l'aggettivo sta vicino a un nome che è **uno** e **femminile**, qual è l'ultima lettera dell'aggettivo? ____

Quando l'aggettivo sta vicino a un nome che è **tanti** e **maschile**, qual è l'ultima lettera dell'aggettivo? ____

Quando l'aggettivo sta vicino a un nome che è **tanti** e **femminile**, qual è l'ultima lettera dell'aggettivo? ____

….hai trovato la regola per mettere gli aggettivi
vicino ai nomi!

Aggettivi qualificativi

3. *Leggi e guarda i disegni. Con una ✗ segna gli aggettivi.*

 ☐ Francesco ☐ è ✗ contento.

☐ Giulia ☐ è ☐ arrabbiata ☐ con ☐ Elettra.

 ☐ Il ☐ canarino ☐ è ☐ affamato.

☐ Il ☐ pirata ☐ grasso ☐ dorme.

 ☐ La ☐ tartaruga ☐ è ☐ lenta.

☐ Il ☐ cavallino ☐ è ☐ stanco.

☐ La ☐ strega ☐ è ☐ cattiva.

☐ La ☐ fata ☐ Viola ☐ è ☐ felice.

Aggettivi qualificativi

Alma Edizioni

4. *Disegna e completa.*

canarino
tartaruga

contento
arrabbiato

	canarin**o** content**o**	canarin**o** arrabbiat**o**
Uno e maschile		
Uno e femminile	tartarug**a** _____ 	tartarug**a** _____
Tanti e maschili	canarin**i** _____	_____ _____
Tanti e femminili	tartarug**he** content**e**	_____ _____

Aggettivi qualificativi

Alma Edizioni

5. *Metti gli aggettivi al posto giusto nelle frasi.*

Il cavallino è _____ quando corre con Francesco.

La giraffa ha il collo _____.

Il robot mostro è _____.

Francesco è _____.

La fata Viola ha un occhio _____ e uno _____.

La strega ha una sciarpa _____.

biondo **cattivo** **lungo** **azzurro** **nero**

contento **nera**

Guarda la tabella!

singolare		plurale	
masch.	femm.	masch.	femm.
-o	-a	-i	-e

 6. *Copia l'aggettivo giusto e scopri la ricetta segreta della strega!*

Un serpente *arrabbiato*   arrabbiato/arrabbiata

Cinque topi _____ grosse/grossi

Due gatti _____ rossi/rossa

Tre stracci _____ sporche/sporchi

Dei capelli _____ bionda/biondi

Due rospi _____ neri/nere

Lo zio

 **1.** *Leggi!*

Lo zio Cosimo è venuto a trovare Giulia!

Guarda che
cos'ha nello zaino!

Lo zucchero filato
per il canarino,

il casco,

l'asciugamano,

lo spazzolino
da denti,

lo scoiattolo Ugo
per Elettra!

L'altalena
per Giulia!

Il portafoglio,

l'ombrello,

l'aereo per
Francesco.

Alma Edizioni

2. *Copia qui sotto tutte le* **parole colorate** *di pag. 58, come nell'esempio.*

il	lo	l'
casco		

Guarda con attenzione la prima lettera delle parole che hai scritto.

Sotto **il** hai scritto parole che iniziano con: _____

Sotto **lo** hai scritto parole che iniziano con: _____

sotto **l'** hai scritto parole che iniziano con: _____

Ricorda! **Nell'alfabeto alcune lettere si chiamano consonanti e altre vocali!**

vocali

consonanti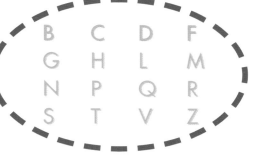

Ora osserva di nuovo la tabella, poi leggi e collega con una freccia le frasi giuste.

L'articolo **il** accompagna

le parole maschili e femminili che iniziano con le vocali (a, e, i, o, u)

L'articolo **lo** accompagna

le parole maschili che iniziano con le consonanti (tranne alcune)

L'articolo **l'** accompagna

le parole maschili che iniziano con la s seguita da consonante, con la z....

Ti ricordi quale articolo accompagna le parole femminili (tranne quelle con le vocali)? Scrivilo qui! _____.
Se non ti ricordi vai a pag. 18

Articoli: lo, l' e gli

3. *Leggi la filastrocca, scegli l'articolo giusto e scrivilo sulla riga.*

_____ zio di Giulia è molto strano,
lui non prende _____ aeroplano,
viaggia sopra _____ arcobaleno,

ha _____ zaino sempre pieno,
ha _____ cappello e _____ mantello,
non si scorda mai _____ ombrello,

con la neve
e con _____ sole
lui ha sempre
_____ buonumore.

il	l'	lo
il	lo	il
il	l'	l'

4. *Fai l'attività!*

La strega ha rubato tutte queste parole
e le ha messe nella pentola!

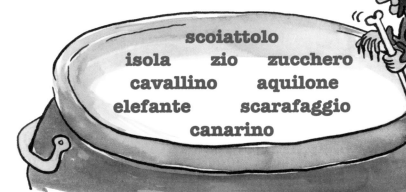

scoiattolo
isola   zio   zucchero
cavallino   aquilone
elefante   scarafaggio
canarino

Ricopiale nello spazio giusto.

lo   **il**   **l'**

Articoli: *lo, l' e gli*

Alma Edizioni

5. *Osserva la tabella riassuntiva di tutti gli articoli singolari!*

Articoli determinativi singolari	
il	accompagna le parole maschili che iniziano con le consonanti (tranne alcune).
la	accompagna le parole femminili che iniziano con le consonanti.
lo	accompagna le parole maschili che iniziano con la s seguita da consonante, con la z...
l'	accompagna le parole maschili e femminili che iniziano con le vocali.

Ora fai un cerchio sull'articolo giusto.

La strega guarda
lo/il/la zoo.

Cosimo fa volare
lo/l'/il aquilone.

Francesco cavalca
la/l'/il cavallino.

Lo/L' scarafaggio...
è Giulia!

Il/L'/La canarino ama
l'/lo/il zucchero filato.

La/L'/Il pirata
Occhiosolo guarda
la/lo/l'isola.

Articoli: *lo, l' e gli*

6. *Leggi.*

La strega è invidiosa!

Vuole i regali dello zio! Fa un altro incantesimo e ... li moltiplica!

Uno	Tanti!
il casco	i caschi
l'asciugamano	gli asciugamani
lo spazzolino	gli spazzolini
lo scoiattolo	gli scoiattoli
l'altalena	le altalene
il portafoglio	i portafogli
l'ombrello	gli ombrelli
l'aereo	gli aerei
lo zucchero filato	gli zuccheri filati

Ora completa.

L'articolo | il | al plurale diventa | i |

L'articolo | lo | al plurale diventa | |.

L'articolo | l' | al plurale diventa | |.

(quando la parola è maschile)

L'articolo | l' | al plurale diventa | |.

(quando la parola è femminile)

Articoli determinativi plurali	
i	accompagna le parole maschili che iniziano con le consonanti (tranne alcune).
gli	accompagna le parole maschili che iniziano con la vocale, con la s seguita da consonante, con la z...
le	accompagna tutte le parole femminili.

Articoli: *lo, l' e gli*

Alma Edizioni

7. *Osserva la tabella riassuntiva di tutti gli articoli plurali a pag. 62. Poi scrivi le frasi al plurale come nell'esempio e disegna.*

Francesco raccoglie **il fiore**.

Francesco raccoglie **i fiori**.

Giulia guarda **l'albero**.

Lo zio Cosimo apre **lo zaino**.

Francesco fa volare **l'aquilone**.

Il canarino gioca con **lo scoiattolo**.

Alma Edizioni

Fate e nani

 **1.** *Leggi!*

C'era una volta una fata.

C'era una volta la fata Viola.

Una e *la* sono articoli femminili singolari. Ma si usano in modo diverso.

Una si usa quando **non** si conosce esattamente di chi si parla.
La si usa quando si conosce di chi si parla.

2. *Disegna tu!*

C'era una volta un nano.

```
┌ ─ ─ ─ ─ ─ ─ ─ ─ ─ ─ ─ ─ ─ ─ ─ ─ ─ ┐
│                                   │
│                                   │
│                                   │
│                                   │
│                                   │
└ ─ ─ ─ ─ ─ ─ ─ ─ ─ ─ ─ ─ ─ ─ ─ ─ ─ ┘
```

C'era una volta il nano Damiano.

```
┌ ─ ─ ─ ─ ─ ─ ─ ─ ─ ─ ─ ─ ─ ─ ─ ─ ─ ┐
│                                   │
│                                   │
│                                   │
│                                   │
│                                   │
└ ─ ─ ─ ─ ─ ─ ─ ─ ─ ─ ─ ─ ─ ─ ─ ─ ─ ┘
```

Un e il sono articoli maschili singolari. Ma si usano in modo diverso.
Prova a completare!
Si usa quando non si conosce esattamente
di chi si parla: _____
Si usa quando si conosce di chi si parla: _____

Attento!
uno **spazzolino**   uno **zaino**

Con le parole maschili che iniziano con la s
seguita da consonante e con la z si usa uno!

Articoli: *un, uno, una*

3. *Metti gli articoli della lista al posto giusto.*

un   uno   una   una   un

Ci sono _____ bambina, _____ cagnolino
e _____ spaventapasseri.

La bambina e il cagnolino hanno paura perché lo
spaventapasseri è proprio brutto!

Ma _____ notte la bambina e il cane si affacciano dalla
finestra della loro casa e ... cosa vedono?
Lo spaventapasseri si trasforma in _____ principe!

Così la bambina e il cane diventano amici dello
spaventapasseri-principe.

Articoli: *un, uno, una*

4. *Scrivi gli articoli e poi metti in ogni valigia le cose giuste, come nell'esempio.*

Si va in vacanza al mare!

_un_ costume rosso

_____ tuta

_____ canotto

_____ libro

_____ spazzolino

_____ maschera subacquea

_____ ombrellone

_____ crema solare

_____ pallone

_____ asciugamano

 _____ cappello

 _____ zaino

_____ paio di pantaloncini

_____ vestito

Articoli: *un, uno, una*

Alice

 1. *Leggi!*

Francesco ha una cugina!
Ecco Alice!

Alice nella vita ama ballare...
Alice balla...

Alice balla... e balla...

...Ma Alice è gentile...
Invita Francesco:
- Balli con me?

Alice, Francesco
e il canarino
ballano insieme.

Presente dei verbi in -are

Alma Edizioni

2. *Osserva le* **parole colorate** *a pag. 68. Poi cerca di completare lo schema.*

ballare	
singolare	**plurale**
Io **ball** - o	Noi **ball** - iamo
Tu **ball** - _____	Voi **ball** - ate
Lui **ball** - a Lei **ball** - _____	Loro **ball** - _____

Hai scritto il presente dei verbi che finiscono in **-are**!

 3. *Rifletti!*

Mentre balla
Alice canta.

Osserva lo schema del verbo **ballare** *e scrivi quello del verbo* **cantare**.

cantare	
singolare	**plurale**
Io _____	Noi _____
Tu _____	Voi _____
Lui _____ Lei _____	Loro _____

Presente dei verbi in -are

Alma Edizioni

4. *Osserva i disegni e unisci con una freccia i pezzi delle frasi.*

saltare

nuotare

camminare

mangiare

guardare

giocare

 1. La scimmia   a. guarda i bambini.

 2. Il coccodrillo   b. mangia la carne.

 3. Il leopardo   c. gioca con il piccolo.

 4. Il lupo   d. nuota nell'acqua.

 5. Il pellicano   e. salta sugli alberi.

 6. La giraffa   f. cammina nella gabbia.

Presente dei verbi in *-are*

Alma Edizioni

5. *Osserva la tabella e metti i verbi al presente.*

ballare	
singolare	**plurale**
Io ballo	Noi balliamo
Tu balli	Voi ballate
Lui balla	Lei balla	Loro ballano

Il canarino (fotografare) _____ Alice.

Giulia e Francesco (parlare) _____
e Elettra (guardare) _____ le stelle.

Elettra (pensare) _____
allo scoiattolo Ugo.

6. *Scegli il verbo giusto.*

Alice _____ (cantano/canta/cantate) una canzone.

I nani e le fate _____ (ballano/balli/balliamo) insieme.

La strega _____ (mangi/mangia/mangiano) la torta di Elettra.

Il pirata Occhiosolo, Pipa, Capello e Coltello _____ (trovate/trova/trovano) il tesoro.

Il robot-mostro _____ (trasformiamo/trasforma/trasformo) tutti in mostri.

Il principe _____ (prepari/prepara/preparo) il minestrone.

Presente dei verbi in -are

Il luna park

 1. *Leggi!*

Alice accompagna Giulia
e Francesco al luna park.

Stanno tutti sul trenino.
Il trenino corre veloce!

Ma le montagne russe corrono
molto più veloci!

Dentro il castello degli orrori...

Giulia, perché corri?

Aiuto!

Alma Edizioni

2. *Osserva le* **parole colorate** *a pag. 72. Poi scrivile al posto giusto qui sotto.*

corr**ere**	
singolare	**plurale**
Io corr**o**	Noi corr**iamo**
Tu _____	Voi corr**ete**
Lui _____	Lei corr**e**	Loro _____

Hai scritto il presente dei verbi che finiscono in **-ere**!

 3. *Impara come si dice in italiano!*

scendere

scrivere

sorridere

leggere

cadere

vincere

Presente dei verbi in -ere e -ire

4. *Scrivi il verbo giusto.*

Francesco e il canarino _____ (scendono/scendiamo /scendi) dall'autoscontro.

Giulia _____ (sorridete/sorride/sorridi) allo specchio.

Elettra _____ (vinciamo/vinco/vince) un pesciolino.

Alice _____ (scrivete/scrive/scrivi) una lettera.

Francesco _____ (leggete/leggo/legge) l'insegna del castello degli orrori.

Giulia e Elettra _____ (cadi/cadiamo/cadono) dal tappeto volante.

 5. *Leggi!*

Ora sono tutti stanchi e dormono sul tappeto volante.

Alma Edizioni

6. *Leggi il presente dei verbi che finiscono in -ire.*

dormire	
singolare	**plurale**
Io **dorm** - o	Noi **dorm** - iamo
Tu **dorm** - i	Voi **dorm** - ite
Lui **dorm** - e Lei **dorm** - e	Loro **dorm** - ono

Ora scrivi negli spazi vuoti i verbi che mancano.

	dormire	sentire	partire	aprire
Io	dormo			
Tu		senti		
Lui/Lei			parte	
Noi		sentiamo		apriamo
Voi	dormite			
Loro			partono	

Presente dei verbi in -ere e -ire

Presente dei verbi in -ere e -ire

7. *Completa la lettera con i verbi al presente.*

Alice scrive alla sua amica Stella.

Ciao Stella,
sono sul pianeta di Francesco. Noi qui _____
(giocare) e _____ (mangiare) tanti gelati.
Io _____ (scrivere) lettere e soprattutto
_____ (ballare). Francesco _____
(leggere) i suoi libri. Tu, quando _____
(partire) e vieni qui?
Ti _____ (abbracciare),
tua Alice

8. *Completa le frasi con i verbi della lista.*

Francesco _____ la porta del castello degli orrori.

Il canarino _____ alla tartaruga Elettra.

Elettra _____ sulla panchina.

La strega _____ il libro degli incantesimi.

Alice _____ il luna park.

Giulia _____ un rumore... è la strega!

dorme   legge   sorride   sente   apre   fotografa

Le foto

 **1.** *leggi!*

A casa Alice fa vedere le foto del luna park...

Le montagne russe... come sono veloci!

Francesco e il canarino sono felici sull'autoscontro!

Elettra è triste perché vuole un pesciolino!

Il castello degli orrori è grande!

Aggettivi in -e

15

 **2.** *Le parole colorate a pag. 77 sono aggettivi. Scrivili sotto ai nomi come nell'esempio e completa.*

singolare		plurale	
maschile	**femminile**	**maschile**	**femminile**
Il castello degli orrori *grande*	Elettra _____	Francesco e il canarino _____	Le montagne russe _____
lettera finale degli aggettivi - _____		lettera finale degli aggettivi - _____	

Quando l'aggettivo sta vicino a un nome che è **singolare** e **maschile**, l'ultima lettera dell'aggettivo è la _____.

Quando l'aggettivo sta vicino a un nome che è **singolare** e **femminile** l'ultima lettera dell'aggettivo è la _____.

Quando l'aggettivo sta vicino a un nome che è **plurale** e **maschile**, l'ultima lettera dell'aggettivo è la _____.

Quando l'aggettivo sta vicino a un nome che è **plurale** e **femminile**, l'ultima lettera dell'aggettivo è la _____.

*....hai trovato la regola per mettere questi aggettivi vicino ai nomi! Questi aggettivi si chiamano **aggettivi in -e**.*

 3. *Impara questi aggettivi in -e!*

gentile    terribile

verde    arancione

Aggettivi in -e

Alma Edizioni

4. Trova gli aggettivi che hai visto nelle attività 1 e 3 e scrivili accanto ai disegni.

Gli aggettivi sono scritti in queste direzioni:

B	L	L	A	G	R	A	N	D	E	S	A	T	A	Z
F	R	F	F	E	R	U	Z	M	N	R	R	E	O	L
E	O	F	I	C	D	E	D	F	E	L	I	C	E	G
T	T	V	R	E	O	N	M	I	F	F	E	G	A	T
M	G	E	N	T	I	L	E	E	T	R	I	S	T	E
A	M	R	A	M	C	F	I	G	R	A	T	T	E	Z
R	A	D	L	O	A	T	O	R	O	B	E	R	R	E
T	A	E	N	L	U	R	R	I	F	R	U	T	R	A
P	K	G	I	N	O	H	A	G	I	A	M	P	I	T
L	I	C	O	V	E	L	E	N	M	A	R	I	B	R
A	M	I	C	E	M	A	U	I	C	N	N	O	I	E
R	O	L	O	L	I	B	A	L	D	I	C	A	L	D
H	L	Q	U	O	S	D	L	E	A	N	O	O	E	R
P	Z	H	Z	C	F	O	X	B	A	A	N	N	S	C
C	A	T	Z	E	L	G	Y	I	N	D	E	L	E	E

 _____

 _____

 _____

 _____

 _____

 _____

 _____

 _____

Alma Edizioni

Aggettivi in -e

5. *Guarda la tabella degli aggettivi in -e. Poi cancella l'aggettivo sbagliato.*

Aggettivi in *-e*	
singolare maschile e femminile	plurale maschile e femminile
-e la fata felic**e** il nano felic**e**	**-i** le fate felic**i** i nani felic**i**

Stella ha gli occhi **grandi/grande** e **verde/verdi**.

Alice parla della sua amica Stella.

Racconta sempre molte storie **divertente/ divertenti**.

È **intelligenti/ intelligente** ...legge molti libri di storia e di scienze.

Insomma, è una ragazza **felice/felici**.

Alma Edizioni

Aggettivi in -e

Francesco e Giulia

 **1.** *Leggi!*

Dopo il viaggio al luna park tutti sono molto stanchi...

Mentre Giulia dorme
in un letto
la tartaruga sta in
un cassetto.

Il canarino
su un albero
vola mentre
Francesco va
a scuola.

E mentre Alice
si riposa
anche la strega
torna a casa.

Osserva le parole colorate. Si chiamano **preposizioni**
e servono per unire le parole nelle frasi.

Preposizioni *in, a e su*

Alma Edizioni

ottantuno

2. *Completa le frasi con la preposizione giusta.*

in    **a** 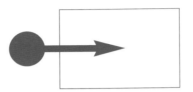   **su**

Alice va _____ casa di Francesco.

Lo zio vola _____ un arcobaleno.

Il canarino gioca _____ giardino.

Alma Edizioni

3. *Riscrivi in ordine le frasi.*

1. va   casa   Giulia   a

Giulia _____

2. corre   in   Francesco   giardino

_____

3. in   vive   un bosco   il nano Damiano

_____

4. una reggia   la sposa mangiona   vive   in

_____

5. un albero   il canarino   su   dorme

_____

6. in   vive   un pianeta lontano lontano   il robot mostro

_____

 4. *Disegna.*

Giulia torna **a** casa.

Il Pirata Occhiosolo dorme **in** una barca.

Francesco vola **su** un tappeto volante.

Preposizioni *in, a* e *su*

Alma Edizioni

5. *Leggi la frase.*

La fata Viola cammina  bosco

> *La preposizione **in** si nasconde nella parola **nel**!*
> *In è amica dell'articolo **il**. Insieme diventano **nel**.*

*Ora prova tu. Dove si nasconde la preposizione **su**? Cerchia la parola.*

La strega vola sulla scopa.

*Dove si nasconde la preposizione **a**? Cerchia la parola.*

Giulia e Elettra vanno al mare.

*Dove si nasconde la preposizione **in**? Cerchia la parola.*

Il pirata Occhiosolo vive nell'isola.

> *Quando le preposizioni e gli articoli diventano una parola sola si chiamano **preposizioni articolate**!*

Preposizioni articolate						
	il	**lo**	**la**	**i**	**gli**	**le**	**l'**
in	nel	nello	nella	nei	negli	nelle	nell'
a	al	allo	alla	ai	agli	alle	all'
su	sul	sullo	sulla	sui	sugli	sulle	sull'

Preposizioni in, a e su

Alma Edizioni

6. *Cerchia la preposizione giusta.*

Giulia e Francesco sono felici sui loro pianeti.

A volte giocano
nello/nei/nel giardino
di Francesco.

A volte prendono
il sole **sulla/sull'/sullo**
spiaggia.

A volte vanno
ai/alle/al cinema.

A volte vanno
ai/allo/al zoo.

A volte ascoltano
la musica sdraiati
sull'/sulle/sui erba.

A volte mangiano
nella/nello/nell'
cucina di Giulia.

Preposizioni *in*, *a* e *su*

Nonna Betta

Preposizioni di e con

 **1.** *Leggi!*

Nel pianeta di
nonna Betta

c'è una mucca
con la maglietta,

un vitello con
il cappello

ed un toro con
il mantello.

Nel pianeta di
nonna Betta

tre galline con
la bicicletta

e poi un'oca
con il tacchino

fanno un giro
con il trenino.

*Osserva le **parole colorate**.*
Anche queste sono preposizioni.

Alma Edizioni

 **2.** *Rifletti!*

Quando una cosa appartiene a qualcuno...

si usa la preposizione _____

Quando una cosa sta insieme a un'altra...

si usa la preposizione _____

Attento! Anche la preposizione di fa amicizia con gli articoli!

Preposizioni articolate							
	il	**lo**	**la**	**i**	**gli**	**le**	**l'**
di	del	dello	della	dei	degli	delle	dell'

Preposizioni di e con

Undici fanciulle coraggiose

Prepositioni di e con

3. *Completa con la preposizione giusta. Devi usare solo una preposizione!*

con   di

Undici fanciulle coraggiose
partono _____ la bici.
Una s'innamora di un fiore
e ne restano solo dieci.

Dieci fanciulle coraggiose
partono _____ la nave.
Una diventa amica delle sirene
e ne restano solo nove.

Nove fanciulle coraggiose
partono _____ il canotto.
Una la prendono le onde
e ne restano solo otto.

Alma Edizioni

4. *Continua tu! Completa le frasi e disegna come negli esempi.*

Otto fanciulle coraggiose partono *con* *il cammello.*

Sette fanciulle coraggiose partono *con* *un razzo spaziale.*

Sei _____

la macchina.

il cavallo.

l'aereo.

l'autobus.

il treno.

parte   la moto.

Prepeosizioni *di e con*

Alma Edizioni

5. *Riscrivi in ordine le frasi.*

1. un razzo spaziale   partono   con   sette fanciulle

Sette fanciulle _____

2. fanciulle   la nave   grande   è   delle

La nave _____

3. di   si innamora   un fiore   una fanciulla

Una fanciulla _____

4. corrono   la bici   le fanciulle coraggiose   con

Le fanciulle coraggiose _____

 6. *Metti le preposizioni della lista al posto giusto, come nell'esempio.*

delle   ~~con~~   di   con   del   con   di   di

L'ultima fanciulla parte *con* la moto, ma si stanca e torna a casa. Anche le altre fanciulle sono lì! Una gioca _____ una sirena. Una ha in mano un pezzo _____ stella. Una gioca _____ la sabbia _____ deserto. Una ha un mazzo _____ fiori... La casa _____ fanciulle è piena _____ ricordi!

Alma Edizioni

Occhiosolo

 **1.** *Leggi!*

Il pirata Occhiosolo, Pipa, Capello e Coltello sono sulla piccola isola dietro tre grandi isole.

Trovano il tesoro!

Ecco il **mio** anello! Ecco la **mia** corona!

Il **tuo** mantello! La **tua** cintura!

Guarda! Il **suo** trenino!

Guarda! La **sua** cioccolata!

Questo è il **nostro** tesoro!

Possessivi

Alma Edizioni

2. *Osserva le **parole colorate** di pag. 91. Sono possessivi.*

I possessivi servono a dire di chi è una cosa.

Prova a completare lo schema: scrivi le **parole colorate** di pag. 91 al posto giusto qui sotto e fai accanto i disegni.

Possessivi - singolare		
Maschile	Femminile	
il ____ anello	la ____ corona	
il ____ mantello	la ____ cintura	
il ____ trenino	la ____ cioccolata	
il ____ tesoro	la nostra barca	
il vostro tappeto	la vostra isola	
il loro bosco	la loro reggia	

Possessivi

3. *Scrivi il possessivo giusto nei fumetti.*

 4. *Unisci le frasi ai personaggi, come nell'esempio.*

1. Nel suo pianeta
   ci sono le giraffe.

2. Nella sua casa c'è
   un gatto nero.

3. La loro barca è vecchia.

4. Il loro principe è Damiano.

5. Annaffia il suo albero e
   spuntano tanti alberi!

a. Francesco

b. la strega

c. Giulia

e. i pirati

d. i nani

Possessivi

Alma Edizioni

 **5.** *Fai l'attività!*

Ma se le cose sono tante? Ecco i possessivi al plurale!
Scegli degli oggetti da scrivere e disegnare e prova tu a completare lo schema.

	Possessivi - plurale		
	Maschile	Femminile	
	i miei anelli		le mie corone
	i tuoi _____		le tue _____
	i suoi _____		le sue _____
	i nostri _____		le nostre _____
	i vostri _____		le vostre _____
	i loro _____		le loro _____

6. *Guarda la tabella e completa la lettera di Alice con i possessivi giusti.*

Pronomi possessivi			
mio	**mia**	**miei**	**mie**
tuo	tua	tuoi	tue
suo	sua	suoi	sue
nostro	nostra	nostri	nostre
vostro	vostra	vostri	vostre
loro	loro	loro	loro

*Osserva: **loro** è sempre uguale al maschile, al femminile, al singolare e al plurale!*

Ciao Stella,

sono sul pianeta di Francesco con tutti i _____ amici.

Francesco annaffia i _____ alberi e gioca con il _____ canarino. Giulia e Elettra giocano con le _____ bambole. C'è anche il nano Damiano con le _____ amiche fate e ci sono i pirati con il _____ tesoro. Io sto bene, ma mi manchi un po' tu, la _____ amica del cuore! Come sta la _____ cagnolina Luna?

Ti abbraccio
tua Alice

loro   miei   sue   loro   mia

tua   suo   suoi

Alma Edizioni

Possessivi

Stella e il re dei sogni

1. *Leggi!*

Cara Alice,

ti devo raccontare una cosa molto importante.

Ieri *sono andata* a fare una passeggiata in riva al

mare e *ho visto* qualcuno che dormiva sulla spiaggia.

Era il re dei sogni! Lui dorme di giorno perché di

notte porta i sogni ai bambini. *Abbiamo parlato*

tanto e lui mi *ha regalato* una stella marina.

Ora siamo fidanzati! Lui è molto bello e ha le ali

perché la notte deve volare veloce. Sono felice!

Vieni presto!

Baci

Stella

Passato prossimo

Alma Edizioni

2. *Leggi, scrivi e rispondi.*

ieri

oggi

domani?

Osserva le parole colorate a pag. 96. Raccontano quello che Stella ha fatto ieri. Scrivile negli spazi sotto ai disegni.

sono andata

*Quelli che hai scritto sono verbi al **passato prossimo**. Servono per raccontare fatti del passato.*

Passato prossimo

3. *Leggi e completa.*

> *Il passato prossimo si fa con il verbo* **avere***:*
>
> **abbiamo** *parlato*   **ho** *visto*   **ha** *regalato*
>
> *o con il verbo* **essere***:*   **sono** *andata*
>
> *Prova a completare tu!*

Passato prossimo Parlare	
Io	ho parlato
Tu	hai parlato
Lui/Lei	ha parlato
Noi	_____ _____
Voi	avete parlato
Loro	hanno parlato

Passato prossimo Andare	
Io	_____ _____ o/a
Tu	sei andato/a
Lui/Lei	è andato/a
Noi	siamo andati/e
Voi	siete andati/e
Loro	sono andati/e

 4. *Impara come si dice in italiano!*

lavorare

salire

portare

raccontare

cacciare

dare

Alma Edizioni

5. *Leggi il testo. Poi scrivi i verbi al passato prossimo dividendoli in due colonne: verbi con* **avere** *e verbi con* **essere**.

Il re dei sogni questa notte **ha lavorato** tanto. **Ha cantato** ninne nanne ai bambini piccoli. **È andato** da un bambino che piangeva e gli **ha raccontato** un bellissimo sogno. **È salito** sui tetti e **ha cacciato** gli orchi e le streghe. A Giulia **ha portato** un sogno con il mare. A Francesco **ha regalato** un sogno con le ali.

Passato prossimo	
con avere	**con essere**

6. *Leggi e completa con i verbi della lista.*

ha dato   **ha lavorato**   **è salito**   **ha raccontato**

Francesco _____ su un aereo.

Giulia _____ un regalo a Ernesto.

Giulia _____ una fiaba.

Francesco _____ molto.

7. *Unisci con una freccia i pezzi delle frasi.*

1. Stella ha scritto

a. la sposa mangiona.

2. Lo zio è arrivato

b. la torta con la panna.

3. Elettra ha mangiato

c. una lettera ad Alice.

4. Il principe ha sposato

d. sul pianeta di Giulia.

8. *Non si capisce niente! Metti a posto le frasi.*

è   al   andata   Stella   mare

Stella _____

Francesco   salito   un   su   è   aereo

Francesco _____

ha   con   giocato   il canarino   il cavallino

Il canarino _____

preparato   pozione   la strega   ha   una

La strega _____

Alma Edizioni

Il re dei sogni

 **1.** *Leggi.*

Il re dei sogni da piccolo era molto triste.

Giocava, ma era triste.

Leggeva, ma era triste.

Guardava la televisione, ma era triste.

Non usciva mai di casa ed... era triste.

Sognava paesi lontanti, sognava animali, sognava castelli e cavalieri ma... era triste.

Poi è cresciuto e ha capito! Gli sono spuntate le ali e ha cominciato a portare i sogni ai bambini, di notte.

E ora... è contento!

Imperfetto

2. *Osserva le **parole colorate** di pag. 101 e scrivile negli spazi sotto ai disegni.*

Il re dei sogni ...da piccolo

era molto triste

_____

...ora è contento!

non _____

---

*Quelli che hai scritto sono verbi all'**imperfetto**. Servono per raccontare fatti del passato che sono durati un po' di tempo o che si sono ripetuti più volte. Ad esempio: il re dei sogni **era** triste per tanti giorni, **sognava** tante volte...*

imperfetto			
	giocare	leggere	uscire
Io	giocavo	leggevo	uscivo
Tu	giocavi	leggevi	uscivi
Lui/Lei	giocava	leggeva	usciva
Noi	giocavamo	leggevamo	uscivamo
Voi	giocavate	leggevate	uscivate
Loro	giocavano	leggevano	uscivano

imperfetto

Alma Edizioni

Francesco e Giulia

 3. *Leggi e completa.*

Da piccoli...

Giulia _____ grassottella e sorridente.

Francesco _____ sempre.

Il canarino non _____ .

La strega _____ brutta.

Lo zio di Giulia _____ con l'arcobaleno.

Alice _____ la musica e _____ !

volava

ascoltava

piangeva

ballava

era

giocava

era

Imperfetto

4. *Osserva la tabella e fai il cruciverba!*

Imperfetto			
	giocare	leggere	uscire
Io	giocavo	leggevo	uscivo
Tu	giocavi	leggevi	uscivi
Lui/Lei	giocava	leggeva	usciva
Noi	giocavamo	leggevamo	uscivamo
Voi	giocavate	leggevate	uscivate
Loro	giocavano	leggevano	uscivano

In vacanza, l'anno scorso...

1. lo zio - **pescare**

2. Giulia - **nuotare**

3. Elettra e il canarino - **giocare**

4. il cavallino - **correre**

5. Alice - **ballare**

6. la strega - **gridare**

7. Occhiosolo - **leggere**

8. i nani e le fate - **mangiare**

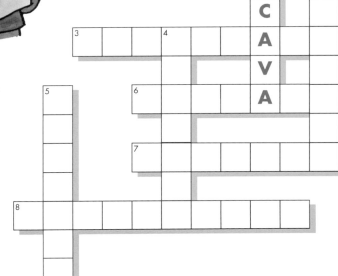

Alma Edizioni

Test di autovalutazione

Il futuro dei personaggi

Fai il test! Metti le parole nei posti giusti e poi controlla le soluzioni a pagina 111 e scopri quanti punti hai fatto!

femmina   sogni   figli   bambini   maschio

Stella e il Re dei sogni si sposano. Hanno due _____, un _____ e una _____. Qualche volta vanno tutti insieme a portare i _____ ai _____!

Ho fatto ___ punti su/5

mangiano   lavorano   vanno   aprono

La sposa mangiona e il principe _____ un ristorante. Pipa, Capello e Coltello _____ con loro. Qualche volta Giulia, Francesco e gli altri _____ a trovarla e _____ dei buonissimi piatti di... minestrone!

Ho fatto ___ punti su/4

è diventato   ha trovato   ha studiato

Occhiosolo non fa più il pirata. Nel tesoro _____ molti libri e _____ molto. Così _____ un maestro e ora insegna in una scuola del pianeta di Francesco.

Ho fatto ___ punti su/3

gialle   grande   brava   rosse   bella   lungo

Alice diventa una _____ ballerina. Un giorno tutti i suoi amici vanno a vederla. Ha un vestito _____ con le righe _____ e _____. In testa ha un _____ cappello. È molto _____!

Ho fatto ___ punti su/6

buone   grandi   contenta   vecchia

La strega è _____. Sta nella sua casa a preparare delle torte _____ e _____. Quando Nonna Betta va a trovarla lei è _____! **Ho fatto ___ punti su/4**

neri   alto   azzurri   basso

Viola e Damiano si sposano e fanno qualche figlio _____ e qualche figlio _____, qualche figlio con gli occhi _____ e qualche figlio con gli occhi _____.

Ho fatto ___ punti su/4

mille   undici

Le _____ fanciulle coraggiose si trasferiscono nel pianeta di Zkvcl e vivono _____ anni.

Ho fatto ___ punti su/2

di   nello   a   di   con

Ho fatto ___ punti su/5

Giulia ed Elettra viaggiano _____ spazio _____ lo zio _____ Giulia. Vedono molte cose, conoscono molti pianeti. Alla fine Giulia torna _____ casa e si mette a scrivere libri _____ avventure. Elettra la aiuta!

i   lo   le   il   i   i   il   i   il

Ho fatto ___ punti su/9

Francesco studia _____ piante e fa _____ scienziato. _____ suo pianeta è pieno di strani esperimenti! A volte invita _____ suoi amici e fa vedere _____ suoi fiori e _____ suoi alberi! _____ canarino e ____ cavallino sono _____ suoi assistenti!

Alma Edizioni

Tavola dei verbi regolari

Primo gruppo: -ARE

	Presente	Passato prossimo	Imperfetto
AMARE	Io amo Tu ami Lui/Lei ama Noi amiamo Voi amate Loro amano	Io ho amato Tu hai amato Lui/Lei ha amato Noi abbiamo amato Voi avete amato Loro hanno amato	Io amavo Tu amavi Lui/Lei amava Noi amavamo Voi amavate Loro amavano

Secondo gruppo: -ERE

	Presente	Passato prossimo	Imperfetto
SCRIVERE	Io scrivo Tu scrivi Lui/Lei scrive Noi scriviamo Voi scrivete Loro scrivono	Io ho scritto Tu hai scritto Lui/Lei ha scritto Noi abbiamo scritto Voi avete scritto Loro hanno scritto	Io scrivevo Tu scrivevi Lui/Lei scriveva Noi scrivevamo Voi scrivevate Loro scrivevano

Terzo gruppo: -IRE

	Presente	Passato prossimo	Imperfetto
DORMIRE	Io dormo Tu dormi Lui/Lei dorme Noi dormiamo Voi dormite Loro dormono	Io ho dormito Tu hai dormito Lui/Lei ha dormito Noi abbiamo dormito Voi avete dormito Loro hanno dormito	Io dormivo Tu dormivi Lui/Lei dormiva Noi dormivamo Voi dormivate Loro dormivano

Alma Edizioni

Tavola dei verbi irregolari

	Presente	Passato prossimo	Imperfetto
ANDARE	Io vado Tu vai Lui/Lei va Noi andiamo Voi andate Loro vanno	Io sono andato/a Tu sei andato/a Lui/Lei è andato/a Noi siamo andati/e Voi siete andati/e Loro sono andati/e	Io andavo Tu andavi Lui/Lei andava Noi andavamo Voi andavate Loro andavano
AVERE	Io ho Tu hai Lui/Lei ha Noi abbiamo Voi avete Loro hanno	Io ho avuto Tu hai avuto Lui/Lei ha avuto Noi abbiamo avuto Voi avete avuto Loro hanno avuto	Io avevo Tu avevi Lui/Lei aveva Noi avevamo Voi avevate Loro avevano
DARE	Io do Tu dai Lui/Lei dà Noi diamo Voi date Loro danno	Io ho dato Tu hai dato Lui/Lei ha dato Noi abbiamo dato Voi avete dato Loro hanno dato	Io davo Tu davi Lui/Lei dava Noi davamo Voi davate Loro davano
DIRE	Io dico Tu dici Lui/Lei dice Noi diciamo Voi dite Loro dicono	Io ho detto Tu hai detto Lui/Lei ha detto Noi abbiamo detto Voi avete detto Loro hanno detto	Io dicevo Tu dicevi Lui/Lei diceva Noi dicevamo Voi dicevate Loro dicevano
DOVERE	Io devo Tu devi Lui/Lei deve Noi dobbiamo Voi dovete Loro devono	Io ho dovuto Tu hai dovuto Lui/Lei ha dovuto Noi abbiamo dovuto Voi avete dovuto Loro hanno dovuto	Io dovevo Tu dovevi Lui/Lei doveva Noi dovevamo Voi dovevate Loro dovevano
ESSERE	Io sono Tu sei Lui/Lei è Noi siamo Voi siete Loro sono	Io sono stato/a Tu sei stato/a Lui/Lei è stato/a Noi siamo stati/e Voi siete stati/e Loro sono stati/e	Io ero Tu eri Lui/Lei era Noi eravamo Voi eravate Loro erano
FARE	Io faccio Tu fai Lui/Lei fa Noi facciamo Voi fate Loro fanno	Io ho fatto Tu hai fatto Lui/Lei ha fatto Noi abbiamo fatto Voi avete fatto Loro hanno fatto	Io facevo Tu facevi Lui/Lei faceva Noi facevamo Voi facevate Loro facevano
POTERE	Io posso Tu puoi Lui/Lei può Noi possiamo Voi potete Loro possono	Io ho potuto Tu hai potuto Lui/Lei ha potuto Noi abbiamo potuto Voi avete potuto Loro hanno potuto	Io potevo Tu potevi Lui/Lei poteva Noi potevamo Voi potevate Loro potevano
VOLERE	Io voglio Tu vuoi Lui/Lei vuole Noi vogliamo Voi volete Loro vogliono	Io ho voluto Tu hai voluto Lui/Lei ha voluto Noi abbiamo voluto Voi avete voluto Loro hanno voluto	Io volevo Tu volevi Lui/Lei voleva Noi volevamo Voi volevate Loro volevano

Soluzioni

Capitolo 1
Attività 2
C come cavallino - F come Francesco - I come isola - N come nani - O come Occhiosolo - R come re dei sogni - S come strega - V come Viola.

Attività 3
Abraham - Betta - Claudio - Daniel - Enrico - Federica - Giorgio - Hamid - Ilaria - Lorenzo - Mark - Nino - Ornella - Paola - Quinto - Roberta - Sara - Tommaso - Umberto - Veronica - Zaira.

Capitolo 2
Attività 2
Maschile: Francesco - amico - canarino - Ernesto. **Femminile**: *Giulia* - amica - tartaruga - Elettra.

Attività 4
Cose femminili di Giulia: *bambola* - matita - casetta - trottola - giraffa - montagna - stella - torta. **Cose maschili di Francesco**: albero - trenino - cavallino - tappeto volante - castello - prato - coniglio - gelato.

Attività 5
S T R E G A

Attività 6
Maschili: armadio - cappello - *camino* - vestito - gatto. **Femminili**: gabbia - scopa - pentola.

Attività 7
M - M - F - M - F - M; F - M - M - F - F - F.

Attività 8
Prima colonna: -a, -o, -a, -a, -a; *seconda colonna:* -a, -o, -a, -o, -o.

Capitolo 3
Attività 2
Nomi maschili: *il* canarino - il cavallino. **Nomi femminili**: la tartaruga - la torta - la panna.

Attività 3
la tuta - il vestito - il fiocco - il cappello - la gonna - la collana - la maglietta - il berretto - la camicia - la sciarpa.

Attività 4
il: lupo - fenicottero - leopardo - coccodrillo - pinguino - pellicano; **la:** pantera - scimmia - giraffa - foca.

Attività 5
Prima colonna: il, il, la, la, il, il; *seconda colonna:* la, il, la, la, la, la.

Attività 6
il - il - la - Il - il - il - la - la.

Capitolo 4
Attività 2
-i, **-e**.

Attività 4
macchine - penne - temperini - bambole - cappelli - gonne - quaderni - libri.

Attività 5
Uno: barca - tesoro - mappa - isola. **Tanti**: marinai - isole.

Attività 6
Singolare maschile: cielo - vento - tramonto. **Singolare femminile**: *luna* - pioggia. **Plurale maschile**: alberi - rami. **Plurale femminile**: stelle - nuvole - foglie.

Attività 7
pantere - lupi - coccodrilli - giraffe - fenicotteri.

Attività 8
Singolare: *pantera* - lupo - coccodrillo - giraffa - *fenicottero* - pinguino. **Plurale**: pantere - *lupi* - coccodrilli - *giraffe* - fenicotteri - pinguini.

Capitolo 5
Attività 2
Singolare: Io - Tu - Lui - Lei. **Plurale**: Noi - Voi - Loro.

Attività 3
Tu.

Attività 4
io - lei - lui - io - tu - noi - loro.

Attività 5
Essere: Io *sono* - Tu sei - Lui *è* - Lei è - Noi siamo - Voi siete - Loro sono.

Attività 8
è - è - è - è - è - è - siamo - sono - siamo.

Capitolo 6
Attività 2
il - i; la - le.

Attività 3
i rami - **le** foglie - **le** pentole - **le** stelle - **i** cappelli - **le** collane.

Attività 4
Singolare maschile: il - il. **Singolare femminile**: la - la - la - la - la. **Plurale maschile**: i - i. **Plurale femminile**: le - le.

Attività 5
I - le - Il - la - Le - la - le - I - i - la.

Attività 6
la camicia - **il** pigiama - **La** strega, **il** camino - **I** nani - **Le** fate.

Capitolo 7
Attività 2
uno - due - tre - quattro - cinque - sei - sette - otto - nove - dieci.

Attività 3
quattro - due - sette - *?* - cinque - uno.

Attività 5
nove - dieci - quattordici - dieci - tre - quattro - sedici - due.

Attività 7
cento - ottanta - venti - venti.

Attività 8
80 ottanta - 27 ventisette - 14 quattordici - 34 trentaquattro - 5 cinque.

Capitolo 8
Attività 2
femminile - maschile.

Attività 4
-i.

Attività 5
navi - salami - giornali - pettini - vermi - cani.

Attività 6
Singolare: elefante - cane. **Plurale**: leoni - rinoceronti - tigri.

Attività 7
Prima colonna: -o, -a, -a, -e, -o; *seconda colonna:* -e, -o, -a, -a, -e.

Attività 8
Nomi in **-o** e **-a**: *lupo* (singolare maschile); pantera (singolare femminile). Nomi in **-e**: leone - tigre (maschile e femminile). *Plurali:* lupi - pantere - leoni - tigri.

Attività 9
1. pettine - 2. neve - 3. salame - 4. fiore - 5. giornale - 6. sole - 7. leone.

Capitolo 9
Attività 2
Avere: Io *ho* - Tu hai - Lui ha - Lei ha - Noi *abbiamo* - Voi *avete* - Loro hanno.

Attività 3
1 - e; 2 - d; 3 - a; 4 - c; 5 - f; 6 - b.

Attività 4
ho - hai - ho.

Attività 6
abbiamo - avete - abbiamo.

Attività 7
Giulia **ha** - La strega **ha** - La tartaruga e il canarino **hanno** - Viola e le altre fate **hanno** - La sposa mangiona **ha** - Francesco **ha**.

Capitolo 10
Attività 1
Strega, Francesco, cavallino.

Attività 2
uno e maschile - uno e maschile - uno e maschile - tanti e maschili - tanti e maschili - uno e maschile - uno e maschile - tanti e femminili - una e femminile. **-o / -a / -i / -e**.

Attività 3
contento - arrabbiata - affamato - grasso - lenta - stanco - cattiva - felice.

Attività 4
canarino contento - canarino arrabbiato - *tartaruga contenta* - *tartaruga* arrabbiata - *canarini* contenti - canarini arrabbiati - *tartarughe contente* - tartarughe arrabbiate.

Attività 5
contento - lungo - cattivo - biondo - azzurro - nero - nera.

Attività 6

arrabbiato - grossi - rossi - sporchi - biondi - neri.

Capitolo 11

Attività 2

Il: *casco*, portafoglio. - **Lo**: zucchero filato, spazzolino, scoiattolo. - **L'**: asciugamano, altalena, ombrello, aereo. **c, p / sp, sc, z / a, a, o, a.** L'articolo **il** accompagna le parole maschili che iniziano con le consonanti (tranne alcune) - L'articolo **lo** accompagna le parole maschili che iniziano con la *s* seguita da consonante, con la *z*... - L'articolo **l'** accompagna le parole maschili e femminili che iniziano con le vocali (a, e, i, o, u).

Attività 3

Lo - l' - l' - lo - il - il - l' - il - il.

Attività 4

Lo: scoiattolo, zio, zucchero, scarafaggio. - **Il**: cavallino, canarino. - **L'**: isola, aquilone, elefante.

Attività 5

lo - l' - il - Lo - Il - lo - Il - l'.

Attività 6

il - i; lo - gli; *l' -* gli; *l' -* le.

Attività 7

Giulia guarda gli alberi. - Lo zio Cosimo apre gli zaini. - Francesco fa volare gli aquiloni. - Il canarino gioca con gli scoiattoli.

Capitolo 12

Attività 2

un - il.

Attività 3

una - un - uno - una - un.

Attività 4

un costume rosso - una tuta - un canotto - un libro - un ombrellone - una crema solare - uno spazzolino - una maschera subacquea - un pallone - un cappello - un asciugamano - uno zaino - un paio di pantaloncini - un vestito.

Capitolo 13

Attività 2

Ballare: Io *ballo* - Tu balli - Lui *balla* - Lei balla - Noi *balliamo* - Voi *ballate* - Loro ballano.

Attività 3

Io canto - Tu canti - Lui canta - Lei canta - Noi cantiamo - Voi cantate - Loro cantano.

Attività 4

1 - e; 2 - d; 3 - f; 4 - b; 5 - a; 6 - c.

Attività 5

fotografa - parlano - guarda - pensa.

Attività 6

canta - ballano - mangia - trovano - trasforma - prepara.

Capitolo 14

Attività 2

Correre: Io *corro* - Tu corri - Lui corre - Lei *corre* - Noi *corriamo* - Voi *correte* - Loro corrono.

Attività 4

scendono - sorride - vince - scrive - legge - cadono.

Attività 6

Dormire: Io *dormo* - Tu dormi - Lui/Lei dorme - Noi dormiamo - Voi *dormite* - Loro dormono. **Sentire**: Io sento - Tu *senti* - Lui/Lei sente - Noi *sentiamo* - Voi sentite - Loro sentono. **Partire**: Io parto - Tu parti - Lui/Lei *parte* - Noi partiamo - Voi partite - Loro *partono*. **Aprire**: Io apro - Tu apri - Lui/Lei apre - Noi *apriamo* - Voi aprite - Loro aprono.

Attività 7

giochiamo - mangiamo - scrivo - ballo - legge - parti - abbraccio.

Attività 8

apre - sorride - dorme - legge - fotografa - sente.

Capitolo 15

Attività 2

Sing. masc.: *grande*; **sing. femm.:** triste; **plur. masc.:** felici; **plur. femm.:** veloci. *Singolare maschi-*

B	L	L	A	G	R	A	N	D	E	S	A	T	A	Z
F	R	F	F	E	R	U	Z	M	N	R	R	E	O	L
E	O	F	I	C	D	E	D	F	E	L	I	C	E	G
T	T	V	R	E	O	N	M	I	F	F	E	G	A	T
M	G	E	N	T	I	L	E	E	T	R	I	S	T	E
A	M	R	A	M	C	F	I	G	R	A	T	T	E	Z
R	A	D	L	O	A	T	O	R	O	B	E	R	R	E
T	A	E	N	L	U	R	R	I	F	R	U	T	R	A
P	K	G	I	N	O	H	A	G	I	A	M	P	I	T
L	I	C	O	V	E	L	E	N	M	A	R	I	B	R
A	M	I	C	E	M	A	U	I	C	N	N	O	I	E
R	O	L	O	L	I	B	A	L	D	I	C	A	L	D
H	L	Q	U	O	S	D	L	E	A	N	O	O	E	R
P	Z	H	Z	C	F	O	X	B	A	A	N	N	S	C
C	A	T	Z	E	L	G	Y	I	N	D	E	L	E	E

le e femminile: **-e**; *Plurale maschile e femminile:* **-i**.

Attività 4

Attività 5

grandi - verdi - divertenti - intelligente - felice.

Capitolo 16

Attività 2

a - su - in.

Attività 3

Giulia va a casa. - Francesco corre in giardino. - Il nano Damiano vive in un bosco. - La sposa mangiona vive in una reggia. - Il canarino dorme su un albero. - Il robot mostro vive in un pianeta lontano lontano.

Attività 5

sulla - al - nell'.

Attività 6

nel - sulla - al - allo - sull' - nella.

Capitolo 17

Attività 2

di - con.

Attività 3

con - con - con.

Attività 4

Sei fanciulle coraggiose partono con la macchina. - Cinque fanciulle coraggiose partono con il cavallo. - Quattro fanciulle coraggiose partono con l'aereo. - Tre fanciulle coraggiose partono con l'autobus. - Due fanciulle coraggiose partono con il treno. - Una fanciulla coraggiosa parte con la moto.

Attività 5

Sette fanciulle partono con un razzo spaziale. - La nave delle fanciulle è grande. - Una fanciulla si innamora di un fiore. - Le fanciulle coraggiose corrono con la bici.

Attività 6

con - con - di - con - del - di - delle - di.

Capitolo 18

Attività 2

il **mio** anello - la **mia** corona - il **tuo** mantello - la **tua** cintura - il **suo** trenino - la **sua** cioccolata - il **nostro** tesoro.

Attività 3

mia - mio.

Attività 4

1 - c; 2 - b; 3 - e; 4 - d; 5 - a.

Attività 6

miei - suoi - suo - loro - sue - loro - mia - tua.

Capitolo 19

Attività 2

sono andata - ho visto - abbiamo parlato - ha regalato.

Attività 3

abbiamo parlato - sono andato/a.

Attività 5

Con avere: ha lavorato - ha cantato - ha raccontato - ha cacciato - ha portato - ha regalato. **Con essere**: è andato - è salito.

Attività 6

Francesco **è salito** su un aereo. - Giulia **ha dato** un regalo a Ernesto. - Giulia **ha raccontato** una fiaba. - Francesco **ha lavorato** molto.

Attività 7

1 - c; 2 - d; 3 - b; 4 - a.

Attività 8

Stella è andata al mare. - Francesco è salito su un aereo. - Il canarino ha giocato con il cavallino. - La strega ha preparato una pozione.

Capitolo 20

Attività 2

giocava - leggeva - guardava - *non* usciva - sognava.

Attività 3

era - piangeva - volava - era - giocava - ascoltava - ballava.

Attività 4

1. *pescava* - 2. nuotava - 3. giocavano - 4. correva - 5. ballava - 6. gridava - 7. leggeva - 8. mangiavano.

Test di autovalutazione

1. figli - maschio - femmina - sogni - bambini.
2. aprono - lavorano - vanno - mangiano.
3. ha trovato - ha studiato - è diventato.
4. brava - lungo - rosse/gialle - gialle/rosse - grande - bella.
5. vecchia - grandi/buone - buone/grandi - contenta.
6. basso/alto - alto/basso - neri/azzurri - azzurri/neri.
7. undici - mille.
8. nello - con - di - a - di.

Alma Edizioni
Italiano per stranieri

Raccontami è un corso di lingua italiana per bambini che propone un modo nuovo e stimolante di imparare l'italiano.

Le unità didattiche sono centrate su storie originali e coinvolgenti, che stimolano nel bambino la curiosità e la capacità immaginativa, e che, attraverso il piacere del racconto, permettono di avvicinarsi alla lingua in modo piacevole e divertente.

Il corso è diviso in due livelli:

Raccontami 1, per bambini dai 4 ai 7 anni;
Raccontami 2, per bambini dai 7 ai 10 anni.

Ogni livello comprende:

- un **libro** di unità didattiche, con storie illustrate, glossario per immagini, attività e giochi;

- un **set di schede fotocopiabili** per l'insegnante;

- un **cd audio** con la lettura drammatizzata delle storie, le canzoni e le filastrocche;

- un **quaderno degli esercizi** per il lavoro a casa.

ALMA EDIZIONI
viale dei Cadorna, 44
50129 Firenze - Italia
tel +39 055476644
fax +39 055473531
info@almaedizioni.it
www.almaedizioni.it